suhrkamp taschenbuch 16

Bertolt Brecht wurde am 10. Februar 1898 als Sohn eines Papier-
fabrikanten in Augsburg geboren. Am 14. August 1956 starb er in
Ost-Berlin. 1931–1948 Emigration in Dänemark, Schweden, Finn-
land, den USA und in der Schweiz. Friedrich Dürrenmatt hat Brecht
den größten Dramatiker unserer Zeit genannt. Das Gesamtwerk
Brechts, u. a. »*Baal*«; »*Trommeln in der Nacht*«; »*Die Dreigroschen-
oper*«; »*Leben des Galilei*«; »*Der gute Mensch von Sezuan*«; »*Mutter
Courage und ihre Kinder*«; »*Herr Puntila und sein Knecht Matti*«; »*Der
kaukasische Kreidekreis*«, betreut der Suhrkamp Verlag.
Max Frisch schrieb über Brecht: »Die Faszination, die Brecht immer
wieder hat, schreibe ich vor allem dem Umstand zu, daß hier ein Leben
wirklich vom Denken aus gelebt wurde. (Während unser Denken
meistens nur eine nachträgliche Rechtfertigung ist; nicht das Lenkende,
sondern das Geschleppte.)«
Die »*Geschichten vom Herrn Keuner*« hat Brecht ab 1935 bis in die
fünfziger Jahre geschrieben. Hier werden sie erstmals separat ver-
öffentlicht. Sie zeigen Brecht als Meister der kurzen Prosa, als Meister
klarer, sachlicher Formen und einer aggressiven, sozialen Kritik.
Siegfried Unseld: »Diese Geschichten sind ein Juwel deutscher Prosa.
Sie erzählen von Brecht selbst, so die Geschichte ›Herrn K's Lieblings-
tier‹, die fast ein Selbstportrait ist, sowie ein Portrait seiner Moral,
seiner Lehre, seiner Weisheit: Das Schicksal des Menschen ist der
Mensch.«

Bertolt Brecht
Geschichten vom
Herrn Keuner

Suhrkamp

suhrkamp taschenbuch 16
Erste Auflage 1971
© Suhrkamp Verlag Frankfurt am Main
Diese Ausgabe folgt der Werkausgabe Bertolt Brecht
Band 12, Prosa 2, Suhrkamp Verlag 1967
Suhrkamp Taschenbuch Verlag
Alle Rechte vorbehalten, insbesondere das des öffentlichen
Vortrags, der Übertragung durch Rundfunk und Fernsehen
sowie der Übersetzung, auch einzelner Teile.
Druck: Ebner Ulm · Printed in Germany
Umschlag nach Entwürfen von
Willy Fleckhaus und Rolf Staudt

18 19 20 21 22 – 93 92 91 90 89

Geschichten vom Herrn Keuner

Weise am Weisen ist die Haltung

Zu Herrn K. kam ein Philosophieprofessor und erzählte ihm von seiner Weisheit. Nach einer Weile sagte Herr K. zu ihm: »Du sitzt unbequem, du redest unbequem, du denkst unbequem.« Der Philosophieprofessor wurde zornig und sagte: »Nicht über mich wollte ich etwas wissen, sondern über den Inhalt dessen, was ich sagte.« »Es hat keinen Inhalt«, sagte Herr K. »Ich sehe dich täppisch gehen, und es ist kein Ziel, das du, während ich dich gehen sehe, erreichst. Du redest dunkel, und es ist keine Helle, die du während des Redens schaffst. Sehend deine Haltung, interessiert mich dein Ziel nicht.«

Organisation

Herr K. sagte einmal: »Der Denkende benützt kein Licht zuviel, kein Stück Brot zuviel, keinen Gedanken zuviel.«

Maßnahmen gegen die Gewalt

Als Herr Keuner, der Denkende, sich in einem Saale vor vielen gegen die Gewalt aussprach, merkte er, wie die Leute vor ihm zurückwichen und weggingen. Er blickte sich um und sah hinter sich stehen – die Gewalt.

»Was sagtest du?« fragte ihn die Gewalt.

»Ich sprach mich für die Gewalt aus«, antwortete Herr Keuner.

Als Herr Keuner weggegangen war, fragten ihn seine Schüler nach seinem Rückgrat. Herr Keuner antwortete: »Ich habe kein Rückgrat zum Zerschlagen. Gerade ich muß länger leben als die Gewalt.«

Und Herr Keuner erzählte folgende Geschichte:

In die Wohnung des Herrn Egge, der gelernt hatte, nein zu sagen, kam eines Tages in der Zeit der Illegalität ein Agent, der zeigte einen Schein vor, welcher ausgestellt war im Namen derer, die die Stadt beherrschten, und auf dem stand, daß ihm gehören solle jede Wohnung, in die er seinen Fuß setzte; ebenso sollte ihm auch jedes Essen gehören, das er verlange; ebenso sollte ihm auch jeder Mann dienen, den er sähe.

Der Agent setzte sich in einen Stuhl, verlangte

Essen, wusch sich, legte sich nieder und fragte mit dem Gesicht zur Wand vor dem Einschlafen: »Wirst du mir dienen?«

Herr Egge deckte ihn mit einer Decke zu, vertrieb die Fliegen, bewachte seinen Schlaf, und wie an diesem Tage gehorchte er ihm sieben Jahre lang. Aber was immer er für ihn tat, eines zu tun hütete er sich wohl: das war, ein Wort zu sagen. Als nun die sieben Jahre herum waren und der Agent dick geworden war vom vielen Essen, Schlafen und Befehlen, starb der Agent. Da wickelte ihn Herr Egge in die verdorbene Decke, schleifte ihn aus dem Haus, wusch das Lager, tünchte die Wände, atmete auf und antwortete: »Nein.«

Von den Trägern des Wissens

»Wer das Wissen trägt, der darf nicht kämpfen; noch die Wahrheit sagen; noch einen Dienst erweisen; noch nicht essen; noch die Ehrungen ausschlagen; noch kenntlich sein. Wer das Wissen trägt, hat von allen Tugenden nur eine: daß er das Wissen trägt«, sagte Herr Keuner.

Der Zweckdiener

Herr K. stellte die folgenden Fragen:
»Jeden Morgen macht mein Nachbar Musik auf einem Grammophonkasten. Warum macht er Musik? Ich höre, weil er turnt. Warum turnt er? Weil er Kraft benötigt, höre ich. Wozu benötigt er Kraft? Weil er seine Feinde in der Stadt besiegen muß, sagt er. Warum muß er Feinde besiegen? Weil er essen will, höre ich.«
Nachdem Herr K. dies gehört hatte, daß sein Nachbar Musik machte, um zu turnen, turnte, um kräftig zu sein, kräftig sein wollte, um seine Feinde zu erschlagen, seine Feinde erschlug, um zu essen, stellte er seine Frage: »Warum ißt er?«

Mühsal der Besten

»Woran arbeiten Sie?« wurde Herr K. gefragt.
Herr K. antwortete: »Ich habe viel Mühe, ich
bereite meinen nächsten Irrtum vor.«

Die Kunst, nicht zu bestechen

Herr K. empfahl einen Mann an einen Kaufmann, seiner Unbestechlichkeit wegen. Nach zwei Wochen kam der Kaufmann wieder zu Herrn K. und fragte ihn: »Was hast du gemeint mit Unbestechlichkeit?« Herr K. sagte: »Wenn ich sage, der Mann, den du anstellst, ist unbestechlich, meine ich damit: du kannst ihn nicht bestechen.« »So«, sagte der Kaufmann betrübt, »nun, ich habe Grund, zu fürchten, daß sich dein Mann sogar von meinen Feinden bestechen läßt.« »Das weiß ich nicht«, sagte Herr K. uninteressiert. »Mir aber«, rief der Kaufmann erbittert, »redet er immerfort nach dem Mund, also läßt er sich auch von mir bestechen!« Herr K. lächelte eitel. »Von mir läßt er sich nicht bestechen«, sagte er.

Vaterlandsliebe, der Haß gegen Vaterländer

Herr K. hielt es nicht für nötig, in einem bestimmten Lande zu leben. Er sagte: »Ich kann überall hungern.« Eines Tages aber ging er durch eine Stadt, die vom Feind des Landes besetzt war, in dem er lebte. Da kam ihm entgegen ein Offizier dieses Feindes und zwang ihn, vom Bürgersteig herunterzugehen. Herr K. ging herunter und nahm an sich wahr, daß er gegen diesen Mann empört war, und zwar nicht nur gegen diesen Mann, sondern besonders gegen das Land, dem der Mann angehörte, also daß er wünschte, es möchte vom Erdboden vertilgt werden. »Wodurch«, fragte Herr K., »bin ich für diese Minute ein Nationalist geworden? Dadurch, daß ich einem Nationalisten begegnete. Aber darum muß man die Dummheit ja ausrotten, weil sie dumm macht, die ihr begegnen.«

Das Schlechte ist auch nicht billig

Nachdenkend über die Menschen, kam Herr Keuner zu seinen Gedanken über die Verteilung der Armut. Eines Tages wünschte er, sich umsehend in seiner Wohnung, andere Möbel, schlechtere, billigere, armseligere. Sogleich ging er zu einem Tischler und trug ihm auf, den Lack von seinen Möbeln abzuschaben. Aber als der Lack abgeschabt war, sahen die Möbel nicht armselig aus, sondern nur verdorben. Dennoch mußte des Tischlers Rechnung bezahlt werden, und Herr Keuner mußte auch noch seine eigenen Möbel wegwerfen und neue kaufen, armselige, billige, schlechte, da er sie sich doch so wünschte. Einige Leute, die dies erfuhren, lachten nun über Herrn Keuner, da seine armseligen Möbel teurer geworden waren wie die lackierten. Aber Herr Keuner sagte: »Zur Armut gehört nicht sparen, sondern ausgeben. Ich kenne euch: zu euren Gedanken paßt eure Armut nicht. Aber zu meinen Gedanken paßt der Reichtum nicht.«

Hungern

Herr K. hatte anläßlich einer Frage nach dem Vaterland die Antwort gegeben: »Ich kann überall hungern.« Nun fragte ihn ein genauer Hörer, woher es komme, daß er sage, er hungere, während er doch in Wirklichkeit zu essen habe. Herr K. rechtfertigte sich, indem er sagte: »Wahrscheinlich wollte ich sagen, ich kann überall leben, wenn ich leben will, wo Hunger herrscht. Ich gebe zu, daß es ein großer Unterschied ist, ob ich selber hungere oder ob ich lebe, wo Hunger herrscht. Aber zu meiner Entschuldigung darf ich wohl anführen, daß für mich leben, wo Hunger herrscht, wenn nicht ebenso schlimm wie hungern, so doch wenigstens sehr schlimm ist. Es wäre ja für andere nicht wichtig, wenn ich Hunger hätte, aber es ist wichtig, daß ich dagegen bin, daß Hunger herrscht.«

Vorschlag, wenn der Vorschlag
nicht beachtet wird

Herr K. empfahl, womöglich jedem Vorschlag zur Güte noch einen weiteren Vorschlag beizufügen, für den Fall, daß der Vorschlag nicht beachtet wird. Als er zum Beispiel jemandem, der in schlechter Lage war, ein bestimmtes Vorgehen angeraten hatte, das so wenige andere schädigte wie möglich, beschrieb er noch ein anderes Vorgehen, weniger harmlos, aber doch nicht das rücksichtsloseste. »Wer nicht alles kann«, sagte er, »dem soll man nicht das wenigere erlassen.«

Originalität

»Heute«, beklagte sich Herr K., »gibt es Un-
zählige, die sich öffentlich rühmen, ganz allein
große Bücher verfassen zu können, und dies
wird allgemein gebilligt. Der chinesische Phi-
losoph Dschuang Dsi verfaßte noch im Man-
nesalter ein Buch von hunderttausend Wörtern,
das zu neun Zehnteln aus Zitaten bestand. Solche Bücher können bei uns nicht mehr geschrieben werden, da der Geist fehlt. Infolge-
dessen werden Gedanken nur in eigner Werk-
statt hergestellt, indem sich der faul vorkommt,
der nicht genug davon fertigbringt. Freilich gibt
es dann auch keinen Gedanken, der übernom-
men werden, und auch keine Formulierung eines Gedankens, die zitiert werden könnte. Wie
wenig brauchen diese alle zu ihrer Tätigkeit!
Ein Federhalter und etwas Papier ist das einzige, was sie vorzeigen können! Und ohne jede
Hilfe, nur mit dem kümmerlichen Material, das
ein einzelner auf seinen Armen herbeischaffen
kann, errichten sie ihre Hütten! Größere Ge-
bäude kennen sie nicht als solche, die ein einzi-
ger zu bauen imstande ist!«

Die Frage, ob es einen Gott gibt

Einer fragte Herrn K., ob es einen Gott gäbe. Herr K. sagte: »Ich rate dir, nachzudenken, ob dein Verhalten je nach der Antwort auf diese Frage sich ändern würde. Würde es sich nicht ändern, dann können wir die Frage fallenlassen. Würde es sich ändern, dann kann ich dir wenigstens noch so weit behilflich sein, daß ich dir sage, du hast dich schon entschieden: Du brauchst einen Gott.«

Das Recht auf Schwäche

Herr K. half jemandem in einer schwierigen Angelegenheit. In der Folge ließ es dieser an jeder Art Dank fehlen.

Herr K. setzte nun seine Freunde in Erstaunen, indem er sich laut über die Undankbarkeit des Betreffenden beschwerte. Sie fanden Herrn K.s Benehmen unfein und sagten auch: »Hast du nicht gewußt, daß man nichts tun soll der Dankbarkeit wegen, weil der Mensch zu schwach ist, um dankbar zu sein?« »Und ich«, fragte Herr K., »bin ich kein Mensch? Warum sollte ich nicht so schwach sein, Dankbarkeit zu verlangen? Die Leute meinen immer, sie bekennen sich als dumm, wenn sie bekennen, daß eine Gemeinheit gegen sie verübt wurde. Wieso eigentlich?«

Der hilflose Knabe

Herr K. sprach über die Unart, erlittenes Unrecht stillschweigend in sich hineinzufressen, und erzählte folgende Geschichte: »Einen vor sich hin weinenden Jungen fragte ein Vorübergehender nach dem Grund seines Kummers. ›Ich hatte zwei Groschen für das Kino beisammen‹, sagte der Knabe, ›da kam ein Junge und riß mir einen aus der Hand‹, und er zeigte auf einen Jungen, der in einiger Entfernung zu sehen war. ›Hast du denn nicht um Hilfe geschrien?‹ fragte der Mann. ›Doch‹, sagte der Junge und schluchzte ein wenig stärker. ›Hat dich niemand gehört?‹ fragte ihn der Mann weiter, ihn liebevoll streichelnd. ›Nein‹, schluchzte der Junge. ›Kannst du denn nicht lauter schreien?‹ fragte der Mann. ›Nein‹, sagte der Junge und blickte ihn mit neuer Hoffnung an. Denn der Mann lächelte. ›Dann gib auch den her‹, sagte er, nahm ihm den letzten Groschen aus der Hand und ging unbekümmert weiter.«

Herr K. und die Natur

Befragt über sein Verhältnis zur Natur, sagte Herr K.: »Ich würde gern mitunter aus dem Haus tretend ein paar Bäume sehen. Besonders da sie durch ihr der Tages- und Jahreszeit entsprechendes Andersaussehen einen so besonderen Grad von Realität erreichen. Auch verwirrt es uns in den Städten mit der Zeit, immer nur Gebrauchsgegenstände zu sehen, Häuser und Bahnen, die unbewohnt leer, unbenutzt sinnlos wären. Unsere eigentümliche Gesellschaftsordnung läßt uns ja auch die Menschen zu solchen Gebrauchsgegenständen zählen, und da haben Bäume wenigstens für mich, der ich kein Schreiner bin, etwas beruhigend Selbständiges, von mir Absehendes, und ich hoffe sogar, sie haben selbst für die Schreiner einiges an sich, was nicht verwertet werden kann.«
»Warum fahren Sie, wenn Sie Bäume sehen wollen, nicht einfach manchmal ins Freie?« fragte man ihn. Herr Keuner antwortete erstaunt: »Ich habe gesagt, ich möchte sie sehen *aus dem Hause tretend*.« (Herr K. sagte auch: »Es ist nötig für uns, von der Natur einen sparsamen Gebrauch zu machen. Ohne Arbeit in der Natur weilend, gerät man leicht in einen krankhaften Zustand, etwas wie Fieber befällt einen.«)

23

Überzeugende Fragen

»Ich habe bemerkt«, sagte Herr K., »daß wir viele abschrecken von unserer Lehre dadurch, daß wir auf alles eine Antwort wissen. Könnten wir nicht im Interesse der Propaganda eine Liste der Fragen aufstellen, die uns ganz ungelöst erscheinen?«

Verläßlichkeit

Herr K., der für die Ordnung der menschlichen Beziehungen war, blieb zeit seines Lebens in Kämpfe verwickelt. Eines Tages geriet er wieder einmal in eine unangenehme Sache, die es nötig machte, daß er nachts mehrere Treffpunkte in der Stadt aufsuchen mußte, die weit auseinanderlagen. Da er krank war, bat er einen Freund um seinen Mantel. Der versprach ihn ihm, obwohl er dadurch selbst eine kleine Verabredung absagen mußte. Gegen Abend nun verschlimmerte sich Herrn K.s Lage so, daß die Gänge ihm nichts mehr nützten und ganz anderes nötig wurde. Dennoch und trotz des Zeitmangels holte Herr K., eifrig, die Verabredung einzuhalten, den unnütz gewordenen Mantel pünktlich ab.

Das Wiedersehen

Ein Mann, der Herrn K. lange nicht gesehen hatte, begrüßte ihn mit den Worten: »Sie haben sich gar nicht verändert.« »Oh!« sagte Herr K. und erbleichte.

Über die Auswahl der Bestien

Als Herr Keuner, der Denkende, hörte
Daß der bekannteste Verbrecher der Stadt New
[York
Ein Spritschmuggler und Massenmörder
Wie ein Hund niedergeschossen und
Sang- und klanglos begraben worden sei
Äußerte er nichts als Befremden.

»Wie«, sagte er, »ist es so weit
Daß nicht einmal der Verbrecher seines Lebens
[sicher ist
Und nicht einmal der zu allem bereit ist
Einigen Erfolg hat?
Jeder weiß, daß die verloren sind
Die auf ihre Menschenwürde bedacht sind.
Aber die sich ihrer entäußern?
Soll es heißen: wer der Tiefe entrann
Fällt auf der Höhe?
Nachts im Schlaf auffahren schweißgebadet die
[Rechtschaffenen
Der leiseste Tritt jagt ihnen Schrecken ein
Ihr gutes Gewissen verfolgt sie bis in den Schlaf
Und jetzt höre ich: auch der Verbrecher
Kann nicht mehr ruhig schlafen?
Welche Verwirrung!
Was sind das für Zeiten!

Mit einer einfachen Gemeinheit, höre ich
Sei nichts mehr getan.
Mit einem Mord allein
Komme keiner mehr durch.
Zwei bis drei Verrate am Vormittag:
Dazu wäre jeder bereit.
Aber was liegt an der Bereitschaft
Wo es nur auf das Können ankommt!
Selbst die Gesinnungslosigkeit genügt noch
[nicht:
Die Leistung entscheidet!

So fährt selbst der Ruchlose
In die Grube ohne Aufsehen.
Da es zu viele seinesgleichen gibt
Fällt er nicht auf.
Wieviel billiger hätte er das Grab haben können
Der so auf Geld aus war!
So viele Morde
Und ein so kurzes Leben!

So viele Verbrechen
Und so wenig Freunde!
Wäre er mittellos gewesen
Hätten es nicht weniger sein können.

Wie sollen wir angesichts solcher Vorfälle
Nicht den Mut verlieren?
Was noch sollen wir planen?
Welche Verbrechen noch ausdenken?

Es ist nicht gut, wenn zuviel verlangt wird.
Solches sehend«, sagte Herr Keuner
»Sind wir entmutigt.«

Form und Stoff

Herr K. betrachtete ein Gemälde, das einigen Gegenständen eine sehr eigenwillige Form verlieh. Er sagte: »Einigen Künstlern geht es, wenn sie die Welt betrachten, wie vielen Philosophen. Bei der Bemühung um die Form geht der Stoff verloren. Ich arbeitete einmal bei einem Gärtner. Er händigte mir eine Gartenschere aus und hieß mich einen Lorbeerbaum beschneiden. Der Baum stand in einem Topf und wurde zu Festlichkeiten ausgeliehen. Dazu mußte er die Form einer Kugel haben. Ich begann sogleich mit dem Abschneiden der wilden Triebe, aber wie sehr ich mich auch mühte, die Kugelform zu erreichen, es wollte mir lange nicht gelingen. Einmal hatte ich auf der einen, einmal auf der anderen Seite zuviel weggestutzt. Als es endlich eine Kugel geworden war, war die Kugel sehr klein. Der Gärtner sagte enttäuscht: ›Gut, das ist die Kugel, aber wo ist der Lorbeer?‹«

Gespräche

»Wir können nicht mehr miteinander sprechen«, sagte Herr K. zu einem Manne. »Warum?« fragte der erschrocken. »Ich bringe in Ihrer Gegenwart nichts Vernünftiges hervor«, beklagte sich Herr K. »Aber das macht mir doch nichts«, tröstete ihn der andere. – »Das glaube ich«, sagte Herr K. erbittert, »aber mir macht es etwas.«

Gastfreundschaft

Wenn Herr K. Gastfreundschaft in Anspruch nahm, ließ er seine Stube, wie er sie antraf, denn er hielt nichts davon, daß Personen ihrer Umgebung den Stempel aufdrückten. Im Gegenteil bemühte er sich, sein Wesen so zu ändern, daß es zu der Behausung paßte; allerdings durfte, was er gerade vorhatte, nicht darunter leiden. Wenn Herr K. Gastfreundschaft gewährte, rückte er mindestens einen Stuhl oder einen Tisch von seinem bisherigen Platz an einen anderen, so auf seinen Gast eingehend. »Und es ist besser, ich entscheide, was zu ihm paßt!« sagte er.

Wenn Herr K. einen Menschen liebte

»Was tun Sie«, wurde Herr K. gefragt, »wenn Sie einen Menschen lieben?« »Ich mache einen Entwurf von ihm«, sagte Herr K., »und sorge, daß er ihm ähnlich wird.« »Wer? Der Entwurf?« »Nein«, sagte Herr K., »Der Mensch.«

Über die Störung des »Jetzt für das Jetzt«

Eines Tages zu Gast bei einigermaßen fremden Leuten, entdeckte Herr K., daß seine Wirte auf einem kleinen Tisch in der Ecke des Schlafzimmers, vom Bett aus sichtbar, schon das Geschirr für das Frühstück niedergestellt hatten. Er beschäftigte sich damit noch, nachdem er zunächst seine Wirte in Gedanken gelobt hat, daß sie eilten, mit ihm fertig zu werden. Er überlegt, ob auch er selbst das Geschirr für das Frühstück nachts vor dem Zubettgehen bereitstellen würde. Nach einigem Nachdenken findet er es für sich zu bestimmten Zeiten richtig. Ebenfalls richtig findet er es, daß auch andere sich gelegentlich für einige Zeit mit dieser Frage befassen.

Erfolg

Herr K. sah eine Schauspielerin vorbeigehen und sagte: »Sie ist schön.« Sein Begleiter sagte: »Sie hat neulich Erfolg gehabt, weil sie schön ist.« Herr K. ärgerte sich und sagte: »Sie ist schön, weil sie Erfolg gehabt hat.«

Herr K. und die Katzen

Herr K. liebte die Katzen nicht. Sie schienen ihm keine Freunde der Menschen zu sein; also war er auch nicht ihr Freund. »Hätten wir gleiche Interessen«, sagte er, »dann wäre mir ihre feindselige Haltung gleichgültig.« Aber Herr K. verscheuchte die Katzen nur ungern von seinem Stuhl. »Sich zur Ruhe zu legen, ist eine Arbeit«, sagte er, »sie soll Erfolg haben.« Auch wenn Katzen vor seiner Tür jaulten, stand er auf vom Lager, selbst bei Kälte, und ließ sie in die Wärme ein. »Ihre Rechnung ist einfach«, sagte er, »wenn sie rufen, öffnet man ihnen. Wenn man ihnen nicht mehr öffnet, rufen sie nicht mehr. Rufen, das ist ein Fortschritt.«

Herrn K.s Lieblingstier

Als Herr K. gefragt wurde, welches Tier er vor allen schätze, nannte er den Elefanten und begründete dies so: Der Elefant vereint List mit Stärke. Das ist nicht die kümmerliche List, die ausreicht, einer Nachstellung zu entgehen oder ein Essen zu ergattern, indem man nicht auffällt, sondern die List, welcher die Stärke für große Unternehmungen zur Verfügung steht. Wo dieses Tier war, führt eine breite Spur. Dennoch ist es gutmütig, es versteht Spaß. Es ist ein guter Freund, wie es ein guter Feind ist. Sehr groß und schwer, ist es doch auch sehr schnell. Sein Rüssel führt einem enormen Körper auch die kleinsten Speisen zu, auch Nüsse. Seine Ohren sind verstellbar: Er hört nur, was ihm paßt. Er wird auch sehr alt. Er ist auch gesellig, und dies nicht nur zu Elefanten. Überall ist er sowohl beliebt als auch gefürchtet. Eine gewisse Komik macht es möglich, daß er sogar verehrt werden kann. Er hat eine dicke Haut, darin zerbrechen die Messer; aber sein Gemüt ist zart. Er kann traurig werden. Er kann zornig werden. Er tanzt gern. Er stirbt im Dickicht. Er liebt Kinder und andere kleine Tiere. Er ist grau und fällt nur durch seine Masse auf. Er ist nicht eßbar. Er kann gut arbeiten. Er trinkt

gern und wird fröhlich. Er tut etwas für die
Kunst: Er liefert Elfenbein.

Das Altertum

Vor einem ›konstruktivistischen‹ Bild des Malers Lundström, einige Wasserkannen darstellend, sagte Herr K.: »Ein Bild aus dem Altertum, aus einem barbarischen Zeitalter! Damals kannten die Menschen wohl nichts mehr auseinander, das Runde erschien nicht mehr rund, das Spitze nicht mehr spitz. Die Maler mußten es wieder zurechtrücken und den Kunden etwas Bestimmtes, Eindeutiges, Festgeformtes zeigen; sie sahen so viel Undeutliches, Fließendes, Zweifelhaftes; sie waren so sehr ausgehungert nach Unbestechlichkeit, daß sie einem Mann schon zujubelten, wenn er sich seine Narrheit nicht abkaufen ließ. Die Arbeit war unter viele verteilt, das sieht man an diesem Bild. Diejenigen, welche die Form bestimmten, kümmerten sich nicht um den Zweck der Gegenstände; aus dieser Kanne kann man kein Wasser eingießen. Es muß damals viele Menschen gegeben haben, welche ausschließlich als Gebrauchsgegenstände betrachtet wurden. Auch dagegen mußten die Künstler sich zur Wehr setzen. Ein barbarisches Zeitalter, das Altertum!« Herr K. wurde darauf aufmerksam gemacht, daß das Bild aus der Gegenwart stammte. »Ja«, sagte Herr K. traurig, »aus dem Altertum.«

Eine gute Antwort

Ein Arbeiter wurde vor Gericht gefragt, ob er die weltliche oder die kirchliche Form des Eides benutzen wolle. Er antwortete: »Ich bin arbeitslos.« – »Dies war nicht nur Zerstreutheit«, sagte Herr K. »Durch diese Antwort gab er zu erkennen, daß er sich in einer Lage befand, wo solche Fragen, ja vielleicht das ganze Gerichtsverfahren als solches, keinen Sinn mehr haben.«

Das Lob

Als Herr K. hörte, daß er von früheren Schülern gelobt wurde, sagte er: »Nachdem die Schüler schon längst die Fehler des Meisters vergessen haben, erinnert er selbst sich noch immer daran.«

Zwei Städte

Herr K. zog die Stadt B der Stadt A vor. »In der Stadt A«, sagte er, »liebt man mich; aber in der Stadt B war man zu mir freundlich. In der Stadt A machte man sich mir nützlich; aber in der Stadt B brauchte man mich. In der Stadt A bat man mich an den Tisch, aber in der Stadt B bat man mich in die Küche.«

Freundschaftsdienste

Als Beispiel für die richtige Art, Freunden einen Dienst zu erweisen, gab Herr K. folgende Geschichte zum besten. »Zu einem alten Araber kamen drei junge Leute und sagten ihm: ›Unser Vater ist gestorben. Er hat uns siebzehn Kamele hinterlassen und im Testament verfügt, daß der Älteste die Hälfte, der zweite ein Drittel und der Jüngste ein Neuntel der Kamele bekommen soll. Jetzt können wir uns über die Teilung nicht einigen; übernimm du die Entscheidung!‹ Der Araber dachte nach und sagte: ›Wie ich es sehe, habt ihr, um gut teilen zu können, ein Kamel zuwenig. Ich habe selbst nur ein einziges Kamel, aber es steht euch zur Verfügung. Nehmt es und teilt dann, und bringt mir nur, was übrigbleibt.‹ Sie bedankten sich für diesen Freundschaftsdienst, nahmen das Kamel mit und teilten die achtzehn Kamele nun so, daß der Älteste die Hälfte, das sind neun, der Zweite ein Drittel, das sind sechs, und der Jüngste ein Neuntel, das sind zwei Kamele bekam. Zu ihrem Erstaunen blieb, als sie ihre Kamele zur Seite geführt hatten, ein Kamel übrig. Dieses brachten sie, ihren Dank erneuernd, ihrem alten Freund zurück.«

Herr K. nannte diesen Freundschaftsdienst

richtig, weil er keine besonderen Opfer verlangte.

Herr K. in einer fremden Behausung

Eine fremde Behausung betretend, sah Herr K., bevor er sich zur Ruhe begab, nach den Ausgängen des Hauses und sonst nichts. Auf eine Frage antwortete er verlegen: »Das ist eine alte leidige Gewohnheit. Ich bin für die Gerechtigkeit; da ist es gut, wenn meine Wohnung mehr als einen Ausgang hat.«

Herr K. und die Konsequenz

Eines Tages stellte Herr K. einem seiner Freunde folgende Frage: »Ich verkehre seit kurzem mit einem Mann, der mir gegenüber wohnt. Jetzt habe ich keine Lust mehr, mit ihm zu verkehren; jedoch fehlt mir nicht nur ein Grund für den Verkehr, sondern auch für die Trennung. Nun habe ich entdeckt, daß er, als er kürzlich das kleine Haus, das er bisher nur gemietet hatte, kaufte, sogleich einen Pflaumenbaum vor seinem Fenster, der ihm Licht wegnahm, umschlagen ließ, obwohl die Pflaumen erst halb reif waren. Soll ich nun dies als Grund nehmen, den Verkehr mit ihm abzubrechen, wenigstens nach außen hin oder wenigstens nach innen hin?«

Einige Tage darauf erzählte Herr K. seinem Freund: »Ich habe den Verkehr mit dem Burschen jetzt abgebrochen; denken Sie sich, er hatte schon seit Monaten von dem damaligen Besitzer des Hauses verlangt, daß der Baum abgehauen würde, der ihm das Licht wegnahm. Der aber wollte es nicht tun, weil er die Früchte noch haben wollte. Und jetzt, wo das Haus auf meinen Bekannten übergegangen ist, läßt er den Baum tatsächlich abhauen, noch voll unreifer Früchte! Ich habe den Verkehr mit ihm jetzt wegen seines inkonsequenten Verhaltens abgebrochen.«

Die Vaterschaft des Gedankens

Herrn K. wurde vorgehalten, bei ihm sei allzu häufig der Wunsch Vater des Gedankens. Herr K. antwortete: »Es gab niemals einen Gedanken, dessen Vater kein Wunsch war. Nur darüber kann man sich streiten: Welcher Wunsch? Man muß nicht argwöhnen, daß ein Kind gar keinen Vater haben könnte, um zu argwöhnen: die Feststellung der Vaterschaft sei schwer.«

Rechtsprechung

Herr K. nannte oft als in gewisser Weise vor-
bildlich eine Rechtsvorschrift des alten China,
nach der für große Prozesse die Richter aus
entfernten Provinzen herbeigeholt wurden. So
konnten sie nämlich viel schwerer bestochen
werden (und mußten also weniger unbestechlich sein), da die ortsansässigen Richter über
ihre Unbestechlichkeit wachten – also Leute,
die gerade in dieser Beziehung sich genau aus-
kannten und ihnen übelwollten. Auch kannten
diese herbeigeholten Richter die Gebräuche
und Zustände der Gegend nicht aus der alltäg-
lichen Erfahrung. Unrecht gewinnt oft Rechts-
charakter einfach dadurch, daß es häufig vorkommt. Die Neuen mußten sich alles neu be-
richten lassen, wodurch sie das Auffällige daran
wahrnahmen. Und endlich waren sie nicht ge-
zwungen, um der Tugend der Objektivität wil-
len viele andere Tugenden, wie die Dankbarkeit, die Kindesliebe, die Arglosigkeit gegen die
nächsten Bekannten, zu verletzten oder so viel
Mut zu haben, sich unter ihrer Umgebung
Feinde zu machen.

Sokrates

Nach der Lektüre eines Buches über die Geschichte der Philosophie äußerte sich Herr K. abfällig über die Versuche der Philosophen, die Dinge als grundsätzlich unerkennbar hinzustellen. »Als die Sophisten vieles zu wissen behaupteten, ohne etwas studiert zu haben«, sagte er, »trat der Sophist Sokrates hervor mit der arroganten Behauptung, er wisse, daß er nichts wisse. Man hätte erwartet, daß er seinem Satz anfügen würde: denn auch ich habe nichts studiert. (Um etwas zu wissen, müssen wir studieren.) Aber er scheint nicht weitergesprochen zu haben, und vielleicht hätte auch der unermeßliche Beifall, der nach seinem ersten Satz losbrach und der zweitausend Jahre dauerte, jeden weiteren Satz verschluckt.«

Der Gesandte

Neulich sprach ich mit Herrn K. über den Fall des Gesandten einer fremden Macht, Herrn X., der in unserm Land gewisse Aufträge seiner Regierung ausgeführt hatte und nach seiner Rückkehr, wie wir mit Bedauern erfuhren, streng gemaßregelt wurde, obgleich er mit großen Erfolgen zurückgekehrt war. »Es wurde ihm vorgehalten, daß er, um seine Aufträge auszuführen, sich allzu tief mit uns, den Feinden, eingelassen habe«, sagte ich. »Glauben Sie denn, er hätte ohne ein solches Verhalten Erfolg haben können?« »Sicher nicht«, sagte Herr K., »er mußte gut essen, um mit seinen Feinden verhandeln zu können, er mußte Verbrechern schmeicheln und sich über sein Land lustig machen, um sein Ziel zu erreichen.« »Dann hat er also richtig gehandelt?« fragte ich. »Ja, natürlich«, sagte Herr K. zerstreut. »Er hat da richtig gehandelt.« Und Herr K. wollte sich von mir verabschieden. Ich hielt ihn jedoch am Ärmel zurück. »Warum wurde er dann mit dieser Verachtung bedacht, als er zurückkam?« rief ich empört. »Er wird wohl an das gute Essen sich gewöhnt, den Verkehr mit Verbrechern fortgesetzt haben und in seinem Urteil unsicher geworden sein«, sagte Herr K. gleichgültig,

»und da mußten sie ihn maßregeln.« »Und das war Ihrer Meinung nach von ihnen richtig gehandelt?« fragte ich entsetzt. – »Ja, natürlich, wie sollten sie sonst handeln?« sagte Herr K. »Er hatte den Mut und das Verdienst, eine tödliche Aufgabe zu übernehmen. Dabei starb er. Sollten sie ihn nun, anstatt ihn zu begraben, in der Luft verfaulen lassen und den Gestank ertragen?«

Der natürliche Eigentumstrieb

Als jemand in einer Gesellschaft den Eigentumstrieb natürlich nannte, erzählte Herr K. die folgende Geschichte von den alteingesessenen Fischern:

»An der Südküste von Island gibt es Fischer, die das dortige Meer vermittels festverankerter Bojen in einzelne Stücke zerlegt und unter sich aufgeteilt haben. An diesen Wasserfeldern hängen sie mit großer Liebe als an ihrem Eigentum. Sie fühlen sich mit ihnen verwachsen, würden sie, auch wenn keine Fische mehr darin zu finden wären, niemals aufgeben und verachten die Bewohner der Hafenstädte, an die sie, was sie fischen, verkaufen, da diese ihnen als ein oberflächliches, der Natur entwöhntes Geschlecht vorkommen. Sie selbst nennen sich wasserständig. Wenn sie größere Fische fangen, behalten sie dieselben bei sich in Bottichen, geben ihnen Namen und hängen sehr an ihnen als an ihrem Eigentum. Seit einiger Zeit soll es ihnen wirtschaftlich schlecht gehen, jedoch weisen sie alle Reformbestrebungen mit Entschiedenheit zurück, so daß schon mehrere Regierungen, die ihre Gewohnheiten mißachteten, von ihnen gestürzt wurden. Solche Fischer beweisen unwiderlegbar die Macht des Eigentumstriebes, dem der Mensch von Natur aus unterworfen ist.«

Wenn die Haifische Menschen wären

»Wenn die Haifische Menschen wären«, fragte Herrn K. die kleine Tochter seiner Wirtin, »wären sie dann netter zu den kleinen Fischen?« »Sicher«, sagte er. »Wenn die Haifische Menschen wären, würden sie im Meer für die kleinen Fische gewaltige Kästen bauen lassen, mit allerhand Nahrung drin, sowohl Pflanzen als auch Tierzeug. Sie würden sorgen, daß die Kästen immer frisches Wasser hätten, und sie würden überhaupt allerhand sanitäre Maßnahmen treffen. Wenn zum Beispiel ein Fischlein sich die Flosse verletzen würde, dann würde ihm sogleich ein Verband gemacht, damit es den Haifischen nicht wegstürbe vor der Zeit. Damit die Fischlein nicht trübsinnig würden, gäbe es ab und zu große Wasserfeste; denn lustige Fischlein schmecken besser als trübsinnige. Es gäbe natürlich auch Schulen in den großen Kästen. In diesen Schulen würden die Fischlein lernen, wie man in den Rachen der Haifische schwimmt. Sie würden zum Beispiel Geographie brauchen, damit sie die großen Haifische, die faul irgendwo liegen, finden könnten. Die Hauptsache wäre natürlich die moralische Ausbildung der Fischlein. Sie würden unterrichtet werden, daß es das Größte und

Schönste sei, wenn ein Fischlein sich freudig aufopfert, und daß sie alle an die Haifische glauben müßten, vor allem, wenn sie sagten, sie würden für eine schöne Zukunft sorgen. Man würde den Fischlein beibringen, daß diese Zukunft nur gesichert ist, wenn sie Gehorsam lernten. Vor allen niedrigen, materialistischen, egoistischen und marxistischen Neigungen müßten sich die Fischlein hüten und es sofort den Haifischen melden, wenn eines von ihnen solche Neigungen verriete. Wenn die Haifische Menschen wären, würden sie natürlich auch untereinander Kriege führen, um fremde Fischkästen und fremde Fischlein zu erobern. Die Kriege würden sie von ihren eigenen Fischlein führen lassen. Sie würden die Fischlein lehren, daß zwischen ihnen und den Fischlein der anderen Haifische ein riesiger Unterschied bestehe. Die Fischlein, würden sie verkünden, sind bekanntlich stumm, aber sie schweigen in ganz verschiedenen Sprachen und können einander daher unmöglich verstehen. Jedem Fischlein, das im Krieg ein paar andere Fischlein, feindliche, in einer anderen Sprache schweigende Fischlein, tötete, würden sie einen kleinen Orden aus Seetang anheften und den Titel Held verleihen. Wenn die Haifische Menschen wären, gäbe es bei ihnen natürlich auch eine Kunst. Es gäbe schöne Bilder, auf denen die Zähne der Haifische in prächtigen Farben, ihre Rachen als reine Lustgärten, in denen es sich prächtig tummeln läßt, dargestellt wären. Die Theater auf dem Meeresgrund würden zeigen, wie heldenmütige Fischlein begeistert in die Haifischrachen schwimmen, und die Musik wäre so schön, daß die Fischlein unter ihren Klängen, die Kapelle voran, träumerisch, und in allerangenehmste Gedanken eingelullt, in die Haifischrachen strömten. Auch eine Religion gäbe es da, wenn die Haifische Menschen wären. Sie würde lehren, daß die Fischlein erst im Bauch der Haifische richtig zu leben begännen. Übrigens würde es auch aufhören, wenn die Haifische Menschen wären, daß alle Fischlein, wie es jetzt ist, gleich sind. Einige von ihnen würden Ämter bekommen und über die anderen gesetzt werden. Die ein wenig größeren dürften sogar die kleineren auffressen. Das wäre für die Haifische nur angenehm, da sie dann selber öfter größere Brocken zu fressen bekämen. Und die größeren, Posten habenden Fischlein würden für die Ordnung unter den Fischlein sorgen, Lehrer, Offiziere, Ingenieure im Kastenbau usw. werden. Kurz, es gäbe überhaupt erst eine Kultur im Meer, wenn die Haifische Menschen wären.«

Warten

Herr K. wartete auf etwas einen Tag, dann eine Woche, dann noch einen Monat. Am Schlusse sagte er: »Einen Monat hätte ich ganz gut warten können, aber nicht diesen Tag und diese Woche.«

Der unentbehrliche Beamte

Von einem Beamten, der schon ziemlich lange in seinem Amt saß, hörte Herr K. rühmenderweise, er sei unentbehrlich, ein so guter Beamter sei er. »Wieso ist er unentbehrlich?« fragte Herr K. ärgerlich. »Das Amt liefe nicht ohne ihn«, sagten seine Lober. »Wie kann er da ein guter Beamter sein, wenn das Amt nicht ohne ihn liefe?« sagte Herr K., »er hat Zeit genug gehabt, sein Amt so weit zu ordnen, daß er entbehrlich ist. Womit beschäftigt er sich eigentlich? Ich will es euch sagen: mit Erpressung!«

Erträglicher Affront

Ein Mitarbeiter Herrn K.s wurde beschuldigt, er nehme eine unfreundliche Haltung zu ihm ein. »Ja, aber nur hinter meinem Rücken«, verteidigte ihn Herr K.

Herr K. fährt Auto

Herr K. hatte gelernt, Auto zu fahren, fuhr aber zunächst noch nicht sehr gut. »Ich habe erst gelernt, ein Auto zu fahren«, entschuldigte er sich. »Man muß aber zweie fahren können, nämlich auch noch das Auto vor dem eigenen. Nur wenn man beobachtet, welches die Fahrverhältnisse für das Auto sind, das vor einem fährt, und seine Hindernisse beurteilt, weiß man, wie man in bezug auf dieses Auto verfahren muß.«

Herr K. und die Lyrik

Nach der Lektüre eines Gedichtbandes sagte Herr K.: »Die Kandidaten für öffentliche Ämter durften in Rom, wenn sie auf dem Forum auftraten, keine Gewänder mit Taschen tragen, damit sie keine Bestechungsgelder nehmen konnten. So sollten die Lyriker keine Ärmel tragen, damit sie keine Verse aus ihnen schütteln können.«

Das Horoskop

Herr K. bat Leute, die sich Horoskope stellen ließen, ihrem Astrologen ein Datum in der Vergangenheit zu nennen, einen Tag, an dem ihnen ein besonderes Glück oder Unglück geschehen war. Das Horoskop mußte es dem Astrologen gestatten, das Geheimnis einigermaßen festzustellen. Herr K. hatte mit diesem Rat wenig Erfolg, denn die Gläubigen bekamen zwar von ihren Astrologen Angaben über Ungunst oder Gunst der Sterne, die mit den Erfahrungen der Frager nicht zusammenpaßten, aber sie sagten dann ärgerlich, die Sterne deuteten ja nur auf gewisse Möglichkeiten, und die konnten ja zu dem angegebenen Datum durchaus bestanden haben. Herr K. zeigte sich durchaus überrascht und stellte eine weitere Frage.

»Es leuchtet mir auch nicht ein«, sagte er, »daß von allen Geschöpfen nur die Menschen von den Konstellationen der Gestirne beeinflußt werden sollen. Die Kräfte werden doch die Tiere nicht einfach auslassen. Was geschieht aber, wenn ein bestimmter Mensch etwa ein Wassermann ist, aber einen Floh hat, der ein Stier ist, und in einem Fluß ertrinkt? Der Floh ertrinkt dann vielleicht mit ihm, obwohl er eine sehr

günstige Konstellation haben mag. Das gefällt
mir nicht.«

Mißverstanden

Herr K. besuchte eine Versammlung und erzählte danach folgende Geschichte: In der großen Stadt X gibt es einen sogenannten Humpf-
klub, in dem es Sitte war, nach Einnahme einer
vorzüglichen Mahlzeit alljährlich einige Male
›Humpf‹ zu sagen. Dem Klub gehörten Leute
an, denen es unmöglich war, mit ihrer Meinung
dauernd hinterm Berg zu halten, die aber die
Erfahrung hatten machen müssen, daß ihre
Aussagen mißverstanden wurden. »Ich höre allerdings«, sagte Herr K. kopfschüttelnd, »daß
auch dieses ›Humpf‹ von einigen mißverstanden wird, indem sie annehmen, es bedeute
nichts.«

Zwei Fahrer

Herr K., befragt über die Arbeitsweise zweier Theaterleute, verglich sie folgendermaßen: »Ich kenne einen Fahrer, der die Verkehrsregeln gut kennt, innehält und für sich zu nutzen weiß. Er versteht es geschickt, vorzupreschen, dann wieder eine regelmäßige Geschwindigkeit zu halten, seinen Motor zu schonen, und so findet er vorsichtig und kühn seinen Weg zwischen den andern Fahrzeugen. Ein anderer Fahrer, den ich kenne, geht anders vor. Mehr als an seinem Weg ist er interessiert am gesamten Verkehr und fühlt sich nur als ein Teilchen davon. Er nimmt nicht seine Rechte wahr und tut sich nicht persönlich hervor. Er fährt im Geist mit dem Wagen vor ihm und dem Wagen hinter ihm, mit einem ständigen Vergnügen an dem Vorwärtskommen aller Wägen und der Fußgänger dazu.«

Gerechtigkeitsgefühl

Herrn K.s Gastgeber hatten einen Hund, und eines Tages kam dieser mit allen Anzeichen des Schuldgefühls angekrochen. »Er hat etwas angestellt, reden Sie sofort streng und traurig mit ihm«, riet Herr K. »Aber ich weiß doch nicht, was er angestellt hat«, wehrte sich der Gastgeber. »Das kann der Hund nicht wissen«, sagte Herr K. dringlich. »Zeigen Sie schnell Ihre betroffene Mißbilligung, sonst leidet sein Gerechtigkeitsgefühl.«

Über Freundlichkeit

Herr K. schätzte Freundlichkeit sehr. Er sagte:
»Jemanden unterhalten, wenn auch freundlich,
jemanden nicht nach seinen Möglichkeiten be-
urteilen, zu jemandem nur freundlich sein,
wenn auch er zu einem freundlich ist, jemanden
kalt betrachten, wenn er heiß, heiß betrachten,
wenn er kalt ist, das ist nicht freundlich.«

[Herr Keuner und die Zeichnung seiner Nichte]

Herr Keuner sah sich die Zeichnung seiner kleinen Nichte an. Sie stellte ein Huhn dar, das über einen Hof flog. »Warum hat dein Huhn eigentlich drei Beine?« fragte Herr Keuner. »Hühner können doch nicht fliegen«, sagte die kleine Künstlerin, »und darum brauchte ich ein drittes Bein zum Abstoßen.«
»Ich bin froh, daß ich gefragt habe«, sagte Herr Keuner.

Herr Keuner und Freiübungen

Ein Freund erzählte Herrn Keuner, seine Gesundheit sei besser, seit er im Garten im Herbst alle Kirschen eines großen Baums gepflückt habe. Er sei bis ans Ende der Äste gekrochen, und die vielfältigen Bewegungen, das Umsich- und Übersichgreifen müßten ihm gutgetan haben.

»Haben Sie die Kirschen gegessen?« fragte Herr Keuner, und im Besitz einer bejahenden Antwort sagte er: »Das sind dann Leibesübungen, die ich auch mir gestatten würde.«

Zorn und Belehrung

Herr Keuner sagte: »Schwierig ist, diejenigen zu belehren, auf die man zornig ist. Es ist aber besonders nötig, denn sie brauchen es besonders.«

[Über Bestechlichkeit]

Als Herr Keuner in einer Gesellschaft seiner Zeit von der reinen Erkenntnis sprach und erwähnte, daß sie nur durch die Bekämpfung der Bestechlichkeit angestrebt werden könne, fragten ihn etliche beiläufig, was alles zu Bestechlichkeit gehöre. »Geld«, sagte Herr Keuner schnell. Da entstand ein großes Ah und Oh der Verwunderung in der Gesellschaft und sogar ein Kopfschütteln der Entrüstung. Dies zeigt, daß man etwas Feineres erwartet hatte. So verriet man den Wunsch, die Bestochenen möchten doch durch etwas Feines, Geistiges bestochen worden sein, und: man möchte doch einem bestochenen Mann nicht vorwerfen dürfen, daß es ihm an Geist fehle.

Viele, sagt man, ließen sich durch Ehren bestechen. Damit meinte man: nicht durch Geld. Und während man Leuten, denen nachgewiesen war, daß sie unrechterweise Geld genommen hatten, das Geld wieder abnahm, wünscht man jenen, die ebenso unrechterweise Ehre genommen haben, Ehre zu lassen.

So ziehen es viele, die der Ausbeutung angeklagt werden, vor, glauben zu machen, sie hätten das Geld genommen, um herrschen zu können, als daß sie sich sagen lassen, sie hätten geherrscht, um Geld zu nehmen. Aber wo Geldhaben herrschen bedeutet, da ist herrschen nichts, was Geldstehlen entschuldigen kann.

[Irrtum und Fortschritt]

Wenn man nur an sich denkt, kann man nicht glauben, daß man Irrtümer begeht, und kommt also nicht weiter. Darum muß man an jene denken, die nach einem weiterarbeiten. Nur so verhindert man, daß etwas fertig wird.

[Menschenkenntnis]

Herr Keuner hatte wenig Menschenkenntnis, er sagte: »Menschenkenntnis ist nur nötig, wo Ausbeutung im Spiel ist. *Denken heißt verändern.* Wenn ich an einen Menschen denke, dann verändere ich ihn, beinahe kommt mir vor, er sei gar nicht so, wie er ist, sondern er sei nur so gewesen, als ich über ihn zu denken anfing.«

[Herr Keuner und die Flut]

Herr Keuner ging durch ein Tal, als er plötzlich bemerkte, daß seine Füße in Wasser gingen. Da erkannte er, daß sein Tal in Wirklichkeit ein Meeresarm war und daß die Zeit der Flut herannahte. Er blieb sofort stehen, um sich nach einem Kahn umzusehen, und solange er auf einen Kahn hoffte, blieb er stehen. Als aber kein Kahn in Sicht kam, gab er diese Hoffnung auf und hoffte, daß das Wasser nicht mehr steigen möchte. Erst als ihm das Wasser bis ans Kinn ging, gab er auch diese Hoffnung auf und schwamm. Er hatte erkannt, daß er selber ein Kahn war.

Herr Keuner und die Schauspielerin

Herr Keuner hatte eine Schauspielerin zur Freundin, die empfing Geschenke von einem Reichen. Deshalb hatte sie andere Ansichten über die Reichen als Herr Keuner. Herr Keuner dachte, die Reichen seien schlechte Leute, aber seine Freundin dachte, sie seien nicht alle schlecht. Warum dachte sie, die Reichen seien nicht alle schlecht? Sie dachte es nicht deshalb, weil sie Geschenke von ihnen empfing, sondern deshalb, weil sie Geschenke von ihnen annahm, denn sie glaubte von sich selber, sie würde keine Geschenke von schlechten Leuten annehmen. Herr Keuner, nachdem er lange darüber nachgedacht hatte, glaubte nicht über sie, was sie über sich glaubte. »Nimm ihnen ihr Geld!« rief (das Unvermeidliche ausnützend) Herr Keuner. »Sie haben die Geschenke nicht bezahlt, sondern gestohlen. Nimm diesen schlechten Leuten ihre Diebesbeute ab, damit du eine gute Schauspielerin sein kannst!« »Kann ich nicht auch eine gute Schauspielerin sein, ohne Geld zu haben?« fragte seine Freundin. »Nein«, sagte Herr Keuner heftig. »Nein. Nein. Nein.«

[Herr Keuner und die Zeitungen]

Herr Keuner begegnete Herrn Wirr, dem Kämpfer gegen die Zeitungen. »Ich bin ein großer Gegner der Zeitungen«, sagte Herr Wirr, »ich will keine Zeitungen.« Herr Keuner sagte: »Ich bin ein größerer Gegner der Zeitungen: ich will andere Zeitungen.«

»Schreiben Sie mir auf einen Zettel«, sagte Herr Keuner zu Herrn Wirr, »was Sie verlangen, damit Zeitungen erscheinen können. Denn Zeitungen werden erscheinen. Verlangen Sie aber ein Minimum. Wenn Sie zum Beispiel Bestechliche zuließen, sie zu verfertigen, so wäre es mir lieber, als daß Sie Unbestechliche verlangten, denn ich würde sie dann einfach bestechen, damit sie die Zeitungen verbesserten. Aber selbst wenn Sie Unbestechliche verlangten, so wollen wir doch anfangen, solche zu suchen, und wenn wir keine finden, so wollen wir doch anfangen, welche zu erzeugen. Schreiben Sie auf einen Zettel, wie die Zeitungen sein sollen, und wenn wir eine Ameise finden, die den Zettel billigt, so wollen wir gleich anfangen. Die Ameise wird uns mehr helfen, die Zeitungen zu verbessern, als ein allgemeines Geschrei über die Unverbesserlichkeit der Zeitungen. Eher nämlich wird ein Gebirge durch eine einzige Ameise beseitigt als durch das Gerücht, es sei nicht zu beseitigen.«

Wenn die Zeitungen ein Mittel zur Unordnung sind, so sind sie auch ein Mittel zur Ordnung. Gerade Leute wie Herr Wirr bewiesen durch ihre Unzufriedenheit den Wert der Zeitungen. Herr Wirr meint, der heutige Unwert der Zeitungen beschäftige ihn, aber in Wirklichkeit ist es der morgige Wert.

Herr Wirr hielt den Menschen für hoch und die Zeitungen für unverbesserbar, Herr Keuner hingegen hielt den Menschen für niedrig und die Zeitungen für verbesserbar. »Alles kann besser werden«, sagte Herr Keuner, »außer dem Menschen.«

Über den Verrat

Soll man ein Versprechen halten?
Soll man ein Versprechen geben? Wo etwas versprochen werden muß, herrscht keine Ordnung. Also soll man diese Ordnung herstellen. Der Mensch kann nichts versprechen. Was verspricht der Arm dem Kopf? Daß er ein Arm bleibt und kein Fuß wird. Denn alle sieben Jahre ist er ein anderer Arm. Wenn einer den anderen verrät, hat er denselben verraten, dem er versprochen hat? Solang einer, dem etwas versprochen ist, in immer andere Verhältnisse kommt und sich also immer ändert nach den Verhältnissen und ein anderer wird, wie soll ihm gehalten werden, was einem andern versprochen war? Der Denkende verrät. Der Denkende verspricht nichts, als daß er ein Denkender bleibt.

Kommentar

Von irgend jemand sagte Herr Keuner: »Er ist
ein großer Staatsmann. Er läßt sich durch das,
was einer ist, nicht darüber täuschen, was er
werden kann.
Dadurch, daß die Menschen heute zum Schaden des einzelnen ausgebeutet werden und dies
also nicht wünschen, darf man sich nicht darüber täuschen lassen, daß die Menschen es
wünschen, ausgebeutet zu werden. Die Schuld
der sie zu ihrem Schaden Ausbeutenden ist um
so größer, als sie hier einen Wunsch von großer
Sittlichkeit mißbrauchen.«

[Über die Befriedigung von Interessen]

Der Hauptgrund dafür, daß die Interessen be-
friedigt werden müssen, besteht darin, daß eine
große Anzahl von Gedanken nicht gedacht
werden kann, weil sie gegen die Interessen der
Denkenden verstoßen. Wenn man die Interessen nicht befriedigen kann, ist es nötig, sie zu
zeigen und ihre Verschiedenheit zu betonen,
denn nur dadurch kann der Denkende Gedanken denken, die den Interessen anderer dien-
lich sind, denn leichter als ohne Interessen kann
man noch für fremde Interessen denken.

Die zwei Hergaben

Als die Zeit der blutigen Wirren gekommen war, die er vorausgesehen und von der er gesagt hatte, daß sie ihn selber verschlingen würde, austilgen und verlöschen für lange Zeit, holten sie den Denkenden aus dem öffentlichen Hause.

Da bezeichnete er, was er mit sich nehmen wollte in den Zustand der äußersten Verkleinerung, und fürchtete bei sich, daß es zuviel sein könnte, und als sie es gesammelt hatten und vor ihn hinstellten, war es nicht mehr, als ein Mann wegtragen, und nicht mehr, als ein Mann wegschenken konnte. Da atmete der Denkende auf und bat, daß man ihm diese Dinge in einen Sack geben möchte, und es waren hauptsächlich Bücher und Papiere, und sie enthielten nicht mehr Wissen, als ein Mann vergessen konnte. Diesen Sack nahm er mit und außerdem noch eine Decke, die wählte er aus nach der Leichtigkeit der Reinigung. Alle anderen Dinge, die er um sich gehabt hatte, verließ er und gab sie weg mit einem Satze des Bedauerns und den fünf Sätzen des Einverständnisses.

Dies war die leichte Hergabe.

Doch ist von ihm eine weitere Hergabe bekannt, welche schwieriger war. Auf seinem

Wege nämlich des Verborgenwerdens kam er für Zeiten wieder in ein größeres Haus, dort gab er, kurz vor ihn die blutigen Wirren seiner Voraussage nach verschlangen, seine Decke weg für eine reichere oder für viele Decken, und auch den Sack gab er weg mit einem Satze des Bedauerns und den fünf Sätzen des Einverständnisses, wie er auch seine Weisheit vergaß, damit die Auslöschung vollständig würde. Dies war die schwere Hergabe.

[Kennzeichen guten Lebens]

Herr Keuner sah irgendwo einen alten Stuhl von großer Schönheit der Arbeit und kaufte ihn sich. Er sagte: »Ich hoffe auf manches zu kommen, wenn ich nachdenke, wie ein Leben eingerichtet sein müßte, in dem ein solcher Stuhl wie der da gar nicht auffiele oder ein Genuß an ihm nichts Schimpfliches noch Auszeichnendes hätte.«

»Einige Philosophen«, erzählte Herr Keuner, »stellten die Frage auf, wie wohl ein Leben aussehen müßte, das jederzeit in einer entscheidenden Lage vom letzten Schlager sich leiten ließe. Wenn wir ein gutes Leben in der Hand hätten, brauchten wir tatsächlich weder große Beweggründe noch sehr weise Ratschläge und die ganze Auswählerei hörte auf«, sagte Herr Keuner, der Anerkennung über diese Frage voll.

[Über die Wahrheit]

Zu Herrn Keuner, dem Denkenden, kam der Schüler Tief und sagte: »Ich will die Wahrheit wissen.«

»Welche Wahrheit? Die Wahrheit ist bekannt. Willst du die über den Fischhandel wissen? Oder die über das Steuerwesen? Wenn du dadurch, daß sie dir die Wahrheit über den Fischhandel sagen, ihre Fische nicht mehr hoch bezahlst, wirst du sie nicht erfahren«, sagte Herr Keuner.

Liebe zu wem?

Von der Schauspielerin Z. hieß es, sie habe sich aus unglücklicher Liebe umgebracht. Herr Keuner sagte: »Sie hat sich aus Liebe zu sich selbst umgebracht. Den X. kann sie jedenfalls nicht geliebt haben. Sonst hätte sie ihm das kaum angetan. Liebe ist der Wunsch, etwas zu geben, nicht zu erhalten. Liebe ist die Kunst, etwas zu produzieren mit den Fähigkeiten des andern. Dazu braucht man von dem andern Achtung und Zuneigung. Das kann man sich immer verschaffen. Der übermäßige Wunsch, geliebt zu werden, hat wenig mit echter Liebe zu tun. Selbstliebe hat immer etwas Selbstmörderisches.«

Wer kennt wen?

Herr Keuner befragte zwei Frauen über ihren Mann.

Die eine gab folgende Auskunft:

»Ich habe zwanzig Jahre mit ihm gelebt. Wir schliefen in einem Zimmer und auf einem Bett. Wir aßen die Mahlzeiten zusammen. Er erzählte mir alle seine Geschäfte. Ich lernte seine Eltern kennen und verkehrte mit allen seinen Freunden. Ich wußte alle seine Krankheiten, die er selber wußte, und einige mehr. Von allen, die ihn kennen, kenne ich ihn am besten.«

»Kennst du ihn also?« fragte Herr Keuner.

»Ich kenne ihn.«

Herr Keuner fragte noch eine andere Frau nach ihrem Mann. Die gab folgende Auskunft:

»Er kam oft längere Zeit nicht, und ich wußte nie, ob er wiederkommen würde. Seit einem Jahr ist er nicht mehr gekommen. Ich weiß nicht, ob er wiederkommen wird. Ich weiß nicht, ob er aus den guten Häusern kommt oder aus den Hafengassen. Es ist ein gutes Haus, in dem ich wohne. Ob er zu mir auch in ein schlechtes käme, wer weiß es? Er erzählt nichts, er spricht mit mir nur von *meinen* Angelegenheiten. Diese kennt er genau. Ich weiß, was er sagt, weiß ich es? Wenn er kommt, hat er manchmal Hunger, manchmal aber ist er satt. Aber er ißt nicht immer, wenn er Hunger hat, und wenn er satt ist, lehnt er eine Mahlzeit nicht ab. Einmal kam er mit einer Wunde. Ich verband sie ihm. Einmal wurde er hereingetragen. Einmal jagte er alle Leute aus meinem Haus. Wenn ich ihn ›dunkler Herr‹ nenne, lacht er und sagt: Was weg ist, ist dunkel, was aber da ist, ist hell. Manchmal aber wird er finster über dieser Anrede. Ich weiß nicht, ob ich ihn liebe. Ich...«

»Sprich nicht weiter«, sagte Herr Keuner hastig. »Ich sehe, du kennst ihn. Mehr kennt kein Mensch den andern als du ihn.«

[Der beste Stil]

Das einzige, was Herr Keuner über den Stil
sagte, ist: »Er sollte zitierbar sein. Ein Zitat
ist unpersönlich. Was sind die besten Söhne?
Jene, welche den Vater vergessen machen!«

Herr Keuner und der Arzt

Der Arzt S. sagte zu Herrn Keuner beleidigt:
»Ich habe über so vieles gesprochen, was unbekannt war. Und ich habe nicht nur gesprochen, sondern auch geheilt.«
»Ist es jetzt bekannt, was du behandelt hast?« fragte Herr Keuner.
S. sagte: »Nein.« »Es ist besser«, sagte Herr Keuner schnell, »daß Unbekanntes unbekannt bleibe, als daß die Geheimnisse vermehrt werden.«

[Gleich besser als verschieden]

Nicht daß die Menschen verschieden sind, ist gut, sondern daß sie gleich sind. Die Gleichen gefallen sich. Die Verschiedenen langweilen sich.

[Der Denkende und der falsche Schüler]

Zu Herrn Keuner, dem Denkenden, kam ein falscher Schüler und erzählte ihm: »In Amerika gibt es ein Kalb mit fünf Köpfen. Was sagst du darüber?« Herr Keuner sagte: »Ich sage nichts.« Da freute sich der falsche Schüler und sagte: »Je weiser du wärest, desto mehr könntest du darüber sagen.«
Der Dumme erwartet viel. Der Denkende sagt wenig.

[Über die Haltung]

Die Weisheit ist die eine Folge der Haltung. Da sie nicht das Ziel der Haltung ist, kann die Weisheit niemand zur Nachahmung der Haltung bewegen.

So wie ich esse, werdet ihr nicht essen. Wenn ihr aber eßt wie ich, wird es euch nützen.

Was ich da sage: daß die Haltung die Taten macht, das möge so sein. Aber die Notwendigkeiten müßt ihr ordnen, daß es so werde.

Oft sehe ich, sagte der Denkende, habe ich meines Vaters Haltung. Aber meines Vaters Taten tue ich nicht. Warum tue ich andere Taten? Weil andere Notwendigkeiten sind. Aber ich sehe, die Haltung hält länger als die Handlungsweise: sie widersteht den Notwendigkeiten.

Mancher kann nur eines tun, wenn er sein Gesicht nicht verlieren will. Da er den Notwendigkeiten nicht folgen kann, geht er leicht unter. Aber wer eine Haltung hat, der kann vieles tun und verliert sein Gesicht nicht.

[Wogegen Herr Keuner war]

Herr Keuner war nicht für Abschiednehmen, nicht für Begrüßen, nicht für Jahrestage, nicht für Feste, nicht für das Beenden einer Arbeit, nicht für das Beginnen eines neuen Lebensabschnittes, nicht für Abrechnungen, nicht für Rache, nicht für abschließende Urteile.

[Vom Überstehen der Stürme]

»Als der Denkende in einen großen Sturm kam, saß er in einem großen Wagen und nahm viel Platz ein. Das erste war, daß er aus seinem Wagen stieg. Das zweite war, daß er seinen Rock ablegte. Das dritte war, daß er sich auf den Boden legte. So überstand er den Sturm in seiner kleinsten Größe.« Dies lesend, sagte Herr Keuner: »Es ist nützlich, sich die Ansichten der anderen über einen selber zu eigen zu machen. Sie verstehen einen sonst nicht.«

[Herrn Keuners Krankheit]

»Warum bist du krank?« fragten Herrn Keuner
die Leute. »Weil der Staat nicht in Ordnung
ist«, antwortete er. »Darum ist meine Lebens-
weise nicht in Ordnung, und meine Nieren,
meine Muskeln und mein Herz kommen in
Unordnung.
Wenn ich in die Städte komme, geht alles ent-
weder schneller oder langsamer als ich. Ich rede
nur zu Redenden und horche nur, wenn alle
horchen. Aller Gewinn meiner Zeit kommt aus
der Unklarheit, aus der Klarheit kommt kein
Gewinn, außer, es besitzt sie nur einer.«

Unbestechlichkeit

Auf die Frage, wie man einen erziehen könnte zur Unbestechlichkeit, antwortete Herr Keuner: »Dadurch, daß man ihn satt macht.« Auf die Frage, wie man einen dazu veranlassen kann, daß er gute Vorschläge macht, antwortete Herr Keuner: »Dadurch, daß man sorgt, daß er an dem Nutzen seiner Vorschläge beteiligt ist und auf andere Weise, also allein, die Vorteile nicht erreichen kann.«

[Schuldfrage]

Eine Schülerin beschwerte sich über Herrn Keuners verräterisches Wesen.
»Vielleicht«, verteidigte er sich, »ist deine Schönheit zu rasch bemerkt und zu rasch vergessen. Jedenfalls mußt du und ich daran schuld sein, wer sonst?« und er erinnerte sie an die Notwendigkeiten beim Lenken eines Autos.

Die Rolle der Gefühle

Herr Keuner war mit seinem kleinen Sohn auf dem Land. Eines Vormittags traf er ihn in der Ecke des Gartens und weinend. Er erkundigte sich nach dem Grund des Kummers, erfuhr ihn und ging weiter. Als aber bei seiner Rückkehr der Junge immer noch weinte, rief er ihn her und sagte ihm: »Was hat es für einen Sinn zu weinen bei einem solchen Wind, wo man dich überhaupt nicht hört.« Der Junge stutzte, begriff diese Logik und kehrte, ohne weitere Gefühle zu zeigen, zu seinem Sandhaufen zurück.

Vom jungen Keuner

Jemand erzählte vom jungen Keuner, er habe ihn einem Mädchen, das ihm sehr gefiel, eines Morgens sagen hören: »Ich habe heute nacht von Ihnen geträumt. Sie waren sehr vernünftig.«

[Luxus]

Der Denkende tadelte oft seine Freundin ihres Luxus wegen. Einmal entdeckte er bei ihr vier Paar Schuhe. »Ich habe auch viererlei Arten Füße«, entschuldigte sie sich.

Der Denkende lachte und fragte: »Was machst du da, wenn ein Paar kaputt ist?« Da merkte sie, daß er noch nicht ganz aufgeklärt war, und sagte: »Ich habe mich getäuscht, ich habe fünferlei Arten Füße.« Damit war der Denkende endlich aufgeklärt.

[Diener oder Herrscher]

»Wer sich nicht mit sich selber befaßt, der sorgt dafür, daß sich andere mit ihm befassen. Er ist ein Diener oder ein Herrscher. Ein Diener und ein Herrscher unterscheiden sich kaum, außer für Diener und Herrscher«, sagte Herr Keuner, der Denkende.

»Dann ist also der der Richtige, der sich mit sich selber befaßt?«

»Wer sich mit sich selber befaßt, befaßt sich mit nichts. Er ist der Diener des Nichts und der Herrscher über nichts.«

»Also ist der der Richtige, der sich nicht mit sich selber befaßt?«

»Ja, wenn er keinen Grund gibt, daß andere sich mit ihm befassen, das heißt sich mit nichts befassen und dem Nichts dienen, das sie nicht selber sind, oder über das Nichts herrschen, das sie nicht selber sind«, sagte Herr Keuner, der Denkende, lachend.

[Eine aristokratische Haltung]

Herr Keuner sagte: »Auch ich habe einmal eine aristokratische Haltung (ihr wißt: grade, aufrecht und stolz, den Kopf zurückgeworfen) genommen. Ich stand nämlich in einem steigenden Wasser. Da es mir bis zum Kinn ging, nahm ich diese Haltung ein.«

[Über die Entwicklung der großen Städte]

Viele leben im Glauben, die großen Städte oder die Fabriken könnten in Zukunft einen immer größeren, ja am Ende unübersehbaren Umfang annehmen. Das ist bei dem einen eine Furcht, bei dem andern eine Hoffnung. Durch kein zuverlässiges Mittel läßt sich nun feststellen, was daran sei. So schlug Herr Keuner vor, jedenfalls lebend diese Entwicklung beinahe außer acht zu lassen, sich also nicht so zu verhalten, als könnten die Städte oder Fabriken außer Maß geraten. »Alles«, sagte er, »scheint in der Entwicklung mit der Ewigkeit zu rechnen. Wer wagte es, den Elefanten, der das Kalb an Größe hinter sich zurückläßt, irgendwie zu begrenzen? Und doch wird er nur größer als ein Kalb, aber nicht größer als ein Elefant.«

»Viele Fehler«, sagte Herr K., »entstehen dadurch, daß man die Redenden nicht oder zu wenig unterbricht. So entsteht leicht ein trügerisches Ganzes, das, da es ganz ist, was niemand bezweifeln kann, auch in seinen einzelnen Teilen zu stimmen scheint, obwohl doch die einzelnen Teile nur zu dem Ganzen stimmen.
Viele Ungelegenheiten entstehen dadurch oder dauern dadurch fort, daß man nach Ausmerzung schädlicher Gepflogenheiten dem Bedürfnis, das noch danach besteht, einen zu dauernden Ersatz bietet. Der Genuß erzeugt selber das Bedürfnis. Um in einem Bild zu sprechen: Für solche Leute, die das Bedürfnis, viel zu sitzen, empfinden, weil sie schwächlich sind, soll man im Winter Bänke aus Schnee errichten, damit die Bänke im Frühjahr, wenn die jungen Leute stärker geworden, die alten gestorben sind, gleichfalls und ohne Maßnahme verschwinden.«

Architektur

In einer Zeit, wo eben kleinbürgerliche Kunst-
auffassungen in der Regierung herrschten,
wurde G. Keuner von einem Architekten gefragt, ob er einen großen Bauauftrag übernehmen solle oder nicht. »Hunderte von Jahren
bleiben die Fehler und Kompromisse in unserer
Kunst stehen!« rief der Verzweifelte aus. G.
Keuner antwortete: »Nicht mehr. Seit der ge-
waltigen Entwicklung der Zerstörungsmittel
sind eure Bauten nur Versuche, wenig verbind-
liche Vorschläge. Anschauungsmaterial für
Diskussionen der Bevölkerung. Und was die
kleinen scheußlichen Verzierungen betrifft, die
Säulchen usw., lege sie als überflüssig an, so
daß eine Spitzhacke den großen reinen Linien
schnell zu ihrem Recht verhelfen kann. Ver-
traue auf unsere Menschen, auf schnelle Entwicklung!«

Apparat und Partei

Zur Zeit, als nach Stalins Tod die Partei sich anschickte, eine neue Produktivität zu entfalten, schrien viele: »Wir haben keine Partei, nur einen Apparat. Nieder mit dem Apparat!« G. Keuner sagte: »Der Apparat ist der Knochenbau der Verwaltung und der Machtausübung. Ihr habt zu lange nur ein Skelett gesehen. Reißt jetzt nicht alles zusammen. Wenn ihr es zu Muskeln, Nerven und Organen gebracht habt, wird das Skelett nicht mehr sichtbar sein.«

Anmerkungen

Die Sammlung wurde durch eine noch im Nachlaß aufgefundene Geschichte (»Über Systeme«) ergänzt. Entgegen dem bisherigen Editionsprinzip (in der Reihenfolge der Veröffentlichung) wurde diese Geschichte so plaziert, daß die beiden nachweislich zuletzt geschriebenen Geschichten weiterhin am Schluß stehen.

Erstveröffentlichungen von »Keunergeschichten« in: *Versuche*, Heft I, Berlin 1930, Heft 5, Berlin 1932, Heft 12, Frankfurt 1953; *Kalendergeschichten*, Berlin 1949; *Sinn und Form*, 2. Sonderheft Bertolt Brecht, Berlin 1957; *Geschichten*, Band 81 der Bibliothek Suhrkamp 1962, und *Prosa*, Band 2, Frankfurt 1965.

Inhalt

Zeittafel

1898	am 10. 2. geboren in Augsburg
1918	Sanitätssoldat
1918–1920	Baal. Dramatische Biographie
1919	Trommeln in der Nacht. Komödie
1920	Dramaturg an den Münchner Kammerspielen
1921–1923	Im Dickicht der Städte. Stück
1922	Regisseur an Reinhardts »Deutschem Theater«, Berlin
	Kleistpreis für »Trommeln in der Nacht«
1923	Leben Eduards des Zweiten von England
	Historie (nach Marlowe, gemeinsam mit Lion Feucht-
	wanger)
1924–1926	Mann ist Mann. Lustspiel
1927	Hauspostille. Gedichte
1928	Die Dreigroschenoper
1928–1929	Aufstieg und Fall der Stadt Mahagonny. Oper.
	Der Ozeanflug. Radiolehrstück für Knaben und Mäd-
	chen
1929	Das Badener Lehrstück vom Einverständnis
1929–1930	Der Jasager und der Neinsager. Schulopern
	Die heilige Johanna der Schlachthöfe. Stück
1930	Die Ausnahme und die Regel. Lehrstück
	Die Maßnahme. Lehrstück
1932	Die Mutter. Stück (nach Gorki)
	Die drei Soldaten. Ein Kinderbuch
1932–1934	Die Rundköpfe und die Spitzköpfe. Stück
1933	Emigration über Dänemark, Schweden, Finnland –
	1941 nach den USA
1933–1934	Die Horatier und die Kuriatier. Lehrstück für Kinder
1934	Dreigroschenroman
1936–1937	Die Gewehre der Frau Carrar. Stück
1938	Leben des Galilei. Schauspiel
	Die Geschäfte des Herrn Julius Caesar. Roman
	Gesammelte Werke in zwei Bänden (London)
	Furcht und Elend des Dritten Reiches. 24 Szenen
1938	Das Verhör des Lukullus. Hörspiel
1938–1940	Der gute Mensch von Sezuan. Parabelstück
1939	Mutter Courage und ihre Kinder. Chronik
	Svendborger Gedichte
1940	Herr Puntila und sein Knecht Matti. Volksstück
1941	Der aufhaltsame Aufstieg des Arturo Ui. Stück

Bertolt Brecht
im Suhrkamp Verlag

Gesammelte Werke. Dünndruckausgabe in acht Bänden. Herausgegeben vom Suhrkamp Verlag. Leinen und Leder

Inhalt:
Bände 1-3: Stücke – Band 4: Gedichte – Bände 5 und 6: Prosa – Band 7: Schriften zum Theater – Band 8: Schriften zur Literatur und Kunst, zur Politik und Gesellschaft. Supplementband 1: Texte für Filme – Supplementband 2: Gedichte aus dem Nachlaß
Werkausgabe in zwanzig Bänden. Diese Ausgabe ist textidentisch mit der achtbändigen Leinenausgabe. Leinenkaschiert
– Supplementbände zur Werkausgabe. Leinenkaschiert
Arbeitsjournal 1938-1955. Herausgegeben von Werner Hecht. 3 Bände. Leinen
– Arbeitsjournal 1938-1955. 2 Bände. Leinenkaschiert
Briefe. Herausgegeben und kommentiert von Günter Glaeser. 2 Bände. Leinen
Tagebücher 1920-1922. Autobiographische Aufzeichnungen 1920-1954. Herausgegeben von Herta Ramthun. Leinen, kartoniert und es 979
Versuche. 4 Bände in Kassette
Erste Gesamtausgabe in 41 Bänden von 1953 ff.:
Die Einzelbände dieser Ausgabe sind nur noch teilweise lieferbar, sie werden nicht mehr neu aufgelegt, da der Text für die Gesammelten Werke 1967 nochmals revidiert wurde.

Einzelausgaben:
– Aufstieg und Fall der Stadt Mahagonny. es 21
– Ausgewählte Gedichte. es 86
– Ausgewählte Gedichte Brechts mit Interpretationen. Herausgegeben von Walter Hinck. es 927
– Baal. Drei Fassungen. Kritisch ediert und kommentiert von Dieter Schmidt. es 170
– Baal. Der böse Baal der asoziale. Texte, Varianten und Materialien. es 248
– Bertolt Brechts Dreigroschenbuch. Herausgegeben von Siegfried Unseld. 2 Bände. st 87
– Bertolt Brechts Gedichte und Lieder. Auswahl von Peter Suhrkamp. BS 33
– Bertolt Brechts Hauspostille. Gedichte. Mit Gesangsnoten. BS 4

Bertolt Brecht
im Suhrkamp Verlag

11/2/8.84

Bertolt Brecht
im Suhrkamp Verlag

Einzelausgaben:
- Furcht und Elend des Dritten Reiches. es 392
- Gedichte. Ausgewählt von Autoren. Mit einem Geleitwort von Ernst Bloch. st 251
- Gedichte für Städtebewohner. st 640
- Gedichte über die Liebe. Ausgewählt von Werner Hecht. Leinen, Leder und st 1001
- Gedichte und Lieder aus Stücken. es 9
- Gesammelte Gedichte. 4 Bände. es 835-838
- Geschichten. BS 81
- Geschichten vom Herrn Keuner. st 16
- Herr Puntila und sein Knecht Matti. es 105
- Im Dickicht der Städte. Erstfassung und Materialien. es 246
- Kuhle Wampe. Protokoll des Films und Materialien. Herausgegeben von Wolfgang Gersch und Werner Hecht. es 362
- Leben des Galilei. es 1
- Leben Eduards des Zweiten von England. Vorlage, Texte und Materialien. es 245
- Liebesgedichte. IB 852
- Mann ist Mann. Lustspiel. es 259
- Me-ti. Buch der Wendungen. BS 228
- Mutter Courage und ihre Kinder. es 49 und BS 710
- Prosa. 4 Bände. es 182-185
- Schriften zum Theater. Über eine nichtaristotelische Dramatik. Zusammengestellt von Siegfried Unseld. BS 41
- Schriften zur Politik und Gesellschaft. st 199
- Schweyk im zweiten Weltkrieg. es 132
- Stücke in einem Band. Gebunden
- Stücke. Bearbeitungen. 2 Bände. es 788/789
- Svendborger Gedichte. Mit dem Kommentar von Walter Benjamin »Zu den Svendborger Gedichten«. BS 335
- Trommeln in der Nacht. Komödie. es 490
- Über den Beruf des Schauspielers. Herausgegeben von Werner Hecht. es 384
- Über die bildenden Künste. Herausgegeben von Jost Hermand. es 691
- Über die irdische Liebe und andere gewisse Welträtsel in Liedern und Balladen. Auswahl Günter Kunert. Illustrationen von Klaus Ensikat. Mit einer Schallplatte, besungen von Helene Weigel und Bertolt Brecht. (Insel Verlag)

Bertolt Brecht
im Suhrkamp Verlag

Einzelausgaben:
- Über experimentelles Theater. Herausgegeben von Werner Hecht. es 377
- Über Lyrik. es 70
- Über Politik auf dem Theater. Herausgegeben von Werner Hecht. es 465
- Über Politik und Kunst. Herausgegeben von Werner Hecht. es 442
- Über Realismus. Herausgegeben von Werner Hecht. es 485

Materialien zu Brechts Werk:
- Brechts ›Aufhaltsamer Aufstieg des Arturo Ui‹. Herausgegeben von Raimund Gerz. 1983. stm. st 2029
- Brechts ›Gewehre der Frau Carrar‹. Herausgegeben von Klaus Bohnen. stm. st 2017
- Brechts ›Guter Mensch von Sezuan‹. Herausgegeben von Jan Knopf. stm. st 2021
- zu ›Der gute Mensch von Sezuan‹. es 247
- zu ›Der kaukasische Kreidekreis‹. es 155
- zu ›Die heilige Johanna der Schlachthöfe‹. es 427
- Brechts ›Mann ist Mann‹. Herausgegeben von Carl Wege. stm. st 2023
- Die Rundköpfe und die Spitzköpfe. Bühnenfassung, Einzelszenen, Varianten. Herausgegeben von Gisela Bahr. es 605
- Brechts ›Leben des Galilei‹. Herausgegeben von Werner Hecht. stm. st 2001
- zu ›Leben des Galilei‹. es 44
- Brechts ›Mutter Courage und ihre Kinder‹. Herausgegeben von Klaus-Detlef Müller. stm. st 2016
- zu ›Mutter Courage und ihre Kinder‹. es 50
- zu ›Die Mutter‹ (nach Gorki). Zusammengestellt von Werner Hecht. es 305
- Brechts Romane. Herausgegeben von Wolfgang Jeske. stm. st 2042
- zu ›Schweyk im zweiten Weltkrieg‹. Herausgegeben von Herbert Knust. es 604
- Brechts ›Tage der Commune‹. Herausgegeben von Wolf Siegert. stm. st 2031

Bertolt Brecht. Sein Leben in Bildern und Texten. Herausgegeben von Werner Hecht. Gestaltet von Willy Fleckhaus. Leinen

11/4/8.84

Bertolt Brecht
im Suhrkamp Verlag

Materialien zu Brechts Werk:
- Leben Brechts in Wort und Bild. Von Ernst und Renate Schumacher. Leinen
Bertolt Brecht – Leben und Werk in Daten und Bildern. Herausgegeben von Werner Hecht. it 406
Brecht im Gespräch. Diskussion, Dialoge, Interviews. Herausgegeben von Werner Hecht. es 771
Brecht in Augsburg. Erinnerungen, Texte, Fotos. Eine Dokumentation von W. Frisch und K. W. Obermeier. st 297
Auf Anregung Bertolt Brechts: Lehrstücke mit Schülern, Arbeitern, Theaterleuten. Herausgegeben von Reiner Steinweg. es 929
Brechts ›Kreidekreis‹, ein Revolutionsstück. Eine Interpretation von Betty Nance Weber. Mit Texten aus dem Nachlaß. es 928
Brechts Modell der Lehrstücke. Zeugnisse, Diskussion, Erfahrungen. Herausgegeben von Reiner Steinweg. es 751
Brecht-Journal. Herausgegeben von Jan Knopf. es 1191

Schallplatten:
Bertolt Brecht singt. Die Moritat von Mackie Messer. Lied von der Unzulänglichkeit menschlichen Strebens.

11/5/8.84

Verzeichnis
der suhrkamp taschenbücher
Eine Auswahl